路難秋風冷

李白與杜甫譯成蘇格蘭文

霍布恩譯

Hard Roads an Cauld Hairst Winds

Li Bai an Du Fu in Scots

Owreset bi

Brian Holton

Calligraphie bi

Chi Zhang

First published by Taproot Press 2021

ISBN: 978-1-8380800-3-7

Printed and bound by Bell & Bain Ltd., Glasgow.

Typeset in 11 point Garamond by Main Point Books, Edinburgh

This book was the beneficiary of a 2021 Scots Language Publication Grant awarded by the Scottish Book Trust www.scottishbooktrust.com

The publication of this and other 2021 Taproot Press titles was made possible by the support of the following people:

Duncan McLean, Orkney
James Robertson, Newtyle
Jonathan Swale, Shetland
Wilma Jamieson, Edinburgh
Flo Cairns, Scotland
Hanne Tange, Aarhus, Denmark
Grace and Iain Macniven, Scotland
Elena Soper, Linlithgow
C. McKinnell, Edinburgh
Hazel B. Anderson, Bressay, Shetland
Christine Hunter, Newquay

Contents

Acknowledgements

Many of the Du Fu poems were drafted in May–June 2019 in Venice under the auspices of the Emily Harvey Foundation, to whom I am profoundly grateful for the opportunity to live and work in such elegant and convivial surroundings.

Some Du Fu poems have appeared in *Lallans*, *Shearsman*, and elsewhere, and I thank the editors for their support. Six of these poems have appeared in *Causeway/ Cabhsair* vol. 11, No. 2, 2021. A disk failure in 2019 lost me my list of publications: I apologise if I have failed to give credit where it's due.

Notes

I have provided no glossary: readers who need help with the Scots may turn to the magisterial treasure house of the *Dictionar o the Scots Leid/Dictionary of the Scots Language* at www.dsl.ac.uk, which combines the 22 volumes of *A Dictionary of the Older Scots Tongue* and the *Scottish National Dictionary*, together with their various Supplements.

Where Chinese names appear, they are transliterated with the standard Hanyu Pinyin system. Vowels mostly have their Italian values, except for the following:

/u/ after /j/, /q/, /x/ – German /ü//i/ after /zh/, /ch/, /sh/, /r/, /z/, /c/ – Scots grund, or NZ fish.

Most initial consonants will be intelligible with English values, except for the following:

/c/ – English /ts/
/q/ – English /ch/ as in chin
/r/ – like English /r/ with curled-up tongue, not flapped
/x/ – a light /sh/ with the tongue behind the bottom teeth.

李白

Li Bai
The Banished Immortal

Li Bai (701–762) wrote with great bravura, and while not an innovator in form or metrics, he is a charmer, much loved for his unforced wit, his roguish, swashbuckling, hard-drinking persona, and his playfully humorous fantasy; his use of Daoist metaphysical esoterica in his verse is perfectly serious, though, for he was an experienced and highly-trained adept who spent many years studying with some of the greatest masters of the age.

We know little about the details of his life,[1] but he seems to have been born in the north-west of China, or in Central Asia, and may even have been of Turkic origin, as he occasionally hints. It is also possible that his family were Silk Road merchants, and quite well off, since on his many travels he seems never to have been short of money for drinking and roistering. He also claimed to have been a travelling swordsman in his youth (*wuxia,* a kind of knight errant). For a while he was an intimate of the Xuanzong Emperor, Tang Minghuang, and would drink and sing on the palace roof as Honoured Consort Yang danced for them. He also spent some time in jail, later in life.

Li Bai and Du Fu stand head and shoulders above their contemporaries – and indeed most of the host of poets who succeeded them – in the apparently artless and spontaneous ease with which they artfully disguise their enormous technical skill in poetic composition. The work of Li Bai and Du Fu radically changed their own literary culture, and unlike Du Fu, the value of whose magisterial and beautiful poetry was not recognised for

1 For biographical information, see inter alia Waley, A (1950) *The Poetry and Career of Li Po* London; Wong, Siu-Kit (1974) *The Genius of Li Po* Hong Kong. He often appears in English as Li Po, using an older transcription: *po*, or now, *bo*, would be the old polite 'reading pronunciation'. The plain form *bai* has been in use in China since the 1950s.

several hundred years, Li Bai's work seems to have been immediately popular, and has remained so ever since.

As Chinese is the world's oldest continuous literary tradition, and Li Bai and Du Fu have been read and admired for 1,300 years throughout the Sinographic culture province that includes China, Japan, Korea and Vietnam, it is safe to say on historical and geographical grounds alone that they are poets of international importance.

Burton Watson wrote:

> [Li Bai's poetry] appears to grow not so much out of actual scenes and experiences of his lifetime as it does out of certain convictions that he held regarding life and art, out of a tireless search for spiritual freedom and communion with nature, a lively imagination, and a deep sensitivity to the beauties of language.[2]

These are universal human qualities, and Li Bai's voice is universal: his unique life-affirming voice deserves to be heard in every language on earth.

He is said to have drowned when he reached out from a boat, drunk, to grab the reflection of the moon on the water, but it is more likely he died of tuberculosis, or, as some have asserted, of drink and hard living. At any rate, word of his death only became known in 763, when local officials informed the Court that he had died the year before.

---

2 Watson, Burton ed. (1984) *The Columbia Book of Chinese Poetry* New York: CUP.

Gaun ti See the Broch Hill Dominie an No Findin Him [3]

Dugs bowffin mang the watter's rowt,
Peach flourish hings heavy wi dew;
Deep in the wuids whiles dae an rae A saw,
On the burn at noon nae bell A heard;
Wild bamboos kythe in blae haar,
Fleein linns hing frae emerant knowes;
Ne'er a bodie kens whaur he gaed:
Ruefu A lean on twae-three pine trees.

《訪戴天山道士不遇》
犬吠水聲中,
桃花帶露濃。
樹深時見鹿,
溪午不聞鍾。
野竹分青靄,
飛泉掛碧峯。
無人知所去,
愁倚兩三鬆。

3 *Li Bai Xuanji*《李白選集》p.3.

Speelin Tweeltoun's Flouer-Skailin Touer [4]

The sun's shinin on Tweeltoun's heid,
Mornin licht on Flouer-Skailin Touer;
A braw-buskit door atween windaes o gowd,
Pearl curtains hingin frae siller heuks;
Hie-fleein steppie-stairs mang clouds o green,
Seein sae fer it skails ilka care o mine;
Gloamin rain owre the Treiple Cleuchs,
The waretime Watter pirlin about the Double Sykes;
Nou A'm here, yince A've speelt an lookit,
It's like A've tovit up ti the Ninefauld Heivens.

《登錦城散花樓》
日照錦城頭，
朝光散花樓。
金窗夾繡戶，
珠箔懸銀鉤。
飛梯綠雲中，
極目散我憂。
暮雨向三峽，
春江繞雙流。
今來一登望，
如上九天遊。

4 Ibid. p.4–5.

Crossin Thornie Yett, a Fare-Ye-Weill [5]

A crossit fer ayont Thornie Yett swyre,
On ma traivels cam ti the Southron Kinrik;
Hills follae the merse an eely awa,
Inti muckle mosses an muirs rins the Lang Watter;
Dounbye the mune's fleein in the lift's keekin-gless,
Clouds cleckin clottert touers o mirages;
Still A lou the watters o ma auld hame:
For ten thousan mile A convoy the wa-gaun boats.

《渡荊門送別》
渡遠荊門外，
來從楚國遊。
山隨平野盡，
江入大荒流。
月下飛天鏡，
雲生結海樓。
仍憐故鄉水，
萬里送行舟。

5 Ibid. p.13.

Thinkin on the Past, Tethert for the Nicht at Kye Inch [6]

Nicht at Kye Inch on the Wast Watter,
Mirk's the lift, wi ne'er the cloud to be seen;
A gaun up ti the owrelop ti see the hairst mune,
It's nae mair nor vainitie ti be mindin on General Xie:[7]
For sae be A cud chaunt the loudest o sangs,
Yon man, he niver cud hear uis;
In bricht mornin the bassmat sail's heizit up
An maple leafs faa, rowth an rowth o them.

《夜泊牛渚懷古》
牛渚西江夜,
青天無片雲。
登舟望秋月,
空憶謝將軍。
餘亦能高詠,
斯人不可聞。
明朝掛帆席,
楓葉落紛紛。

6 Ibid. p.37

7 Xie Shang (308–357CE): a successful general, poet, conversationalist, and musician, when he was sent to pacify the area. He spent a famous night drinking with a friend, and roaring poems to each other across the river; he also made a set of musical chime-stones from Kye Inch stone (Niuzhu, modern Anhui Province).

Speir an Repone in the Hills [8]

Fowk speir at uis whit wey
          A reist mang the green hills:
A smile an keep a caum souch,
          ma hairt at lichtsome ease;
Peach flourish an rinnin water
          lea no a haet ahint,
It's anither heiven an yirth here,
          no the warld o men.

《山中問答》
問餘何意棲碧山，
笑而不答心自閒。
桃花流水窅然去，
別有天地非人間。

8 Ibid. p.47.

'Fowk speir at uis whit wey

A reist mang the green hills:

A smile an keep a caum souch,

ma hairt at lichtsome ease'

問余何意棲碧山笑而不
答心自閒桃花流水窅然
去別有天地非人間

張繼書

Speelin Bonniebrou Braes [9]

In the Westlan Kinrik the're monie halie hills,
But Bonniebrou's marrowless yont aa ither;
A wandert aa owre't ettlin ti speel up for a vizzy,
Sic unco sichts – hou'll can a bodie see them aa?
The grey derk opens ti the lift abune,
Ye cudna pent yon mixter-maxter o hues;
Glamourt A'd soar, tane on wi the rosie rouks,
Wan throu ti the skeil o the Baudkin Poke;[10]
Mang clouds wad blaw the Fair Fowk's beriall flutes,
Owre clints wad thrum the jowelt tympans;
Ma haill life, smaa's been ma ettlin,
But pleisur an lauchs wad be by wi frae this on;
The uncannie look wad be about ma brou,
The warld's fasherie on a sudden tint an gane;
Gin A forgaither wi yon boy at striddles a yowe,
A'll tak his haun an tove ayont the bricht sun.[11]

---

9 Ibid. p.10.

10 The Art of the Brocade Bag (*jin nang shu*) is the Daoist art of becoming a near-immortal Transcendent, something between a saint and a superhero.

11 This refers to Ge You, a legendary Transcendent, who, according to the anonymous *Lives of the Transcendents* (*Lie Xian Zhuan*), was a skilled carver of wooden sheep. One day he appeared riding a wooden sheep, and he led the local princeling and his retinue up Bonniebrou Braes (Mt. Emei in modern Sichuan Province), where they were initiated into the Way of the Transcendents.

《登峨眉山》
蜀國多仙山，
峨眉邈難匹。
周流試登覽，
絕怪安可悉？
青冥倚天開，
彩錯疑畫出。
泠然紫霞賞，
果得錦囊術。
雲間吟瓊簫，
石上弄寶瑟。
平生有微尚，
歡笑自此畢。
煙容如在顏，
塵累忽相失。
倘逢騎羊子，
攜手凌白日。

Hard's the Road [12]

1

A gowden tassie wi braw wine
          an ten thousan gallons o't,
Jowelt ashets wi rare mait
          warth hunners an thousans in gowd;
A set down ma gless an drap ma chopsticks
          A cannae eat nae mair,
A draw ma blade an look about uis
          ma heid a tuim hous;
A wis ettlin ti cross the Yallae Watter
          but ice hes stapt the strands,
A wis gaun ti sclim Meikle Raw Hill
          but snaa's happit the bens;
A cam in idleset ti cast ma geg
          on a greenichie burn,
An on a suddentie here A'm on a coble
          dreamin A'm up anent the sun;
Hard's the road,
Hard's the road,
Monie's the rouch peths,
Whaur am A nou?
A lang wind's skelpin the swaws –
          the time'll mebbes come,
Ti heeze ma sail richt up
          An cross the blue sea.

12 Ibid. p.76.

《行路難三首・其一》
金樽清酒鬥十千，
玉盤珍羞直萬錢。
停杯投箸不能食，
拔劍四顧心茫然。
欲渡黃河冰塞川，
將登太行雪滿山。
閒來垂釣碧溪上，
忽復乘舟夢日邊。
行路難！
行路難！
多歧路，
今安在？
長風破浪會有時，
直掛雲帆濟滄海。

Hard's the Road [13]

2

The Meikle Wey's braid as the blue lift,
But me alane, A cannae find the road ti't;
A'm blate ti set eftir the lads
    in the wards o the Citie o Peace,
An the white dugs an reid chookies they wad at
    wi conkers an pears;[14]
A pook ma sword an sing a sang,
    lat skirl ma doulanee,
For saut ti ma kail at a princelie yett
    A've no hed nae hertie biddin;
At South Carse mercats an pantwells
    they lauchit at Han Xin,
In the Court of Han the hie officiars
    Wir ill-kindit ti Jia Yi;[15]
Och sirs, did ye no see,
In auld langsyne the Hous o Swallas
    gied respeck ti Guo Wei,
They soopit the fluir an boued doun
    wi naither misdoot nor ill-will;
Ju Xin an Yue Yi baith the twa
    gat their hertie skair,
For aa an haill wi hairt an sowl
wi guid will wir they peyed;[16]

---

13 Ibid. p.78. In this and the following poem, the historical allusions are from *Historical Records* (*Shi Ji*) by Sima Qian (c. 145–c. 86BCE).

14 i.e. gambling on racing dogs and fighting cocks in the streets of the capital city of Chang'an.

15 Han Xin (d. 186BCE): a poor orphan who rose to be a brilliant general and helped found the Han Dynasty (206–220CE); as a young man, he was laughed at for ducking a challenge to a fight. Jia Yi (c. 200–169BCE): writer and politician, famous for his essay *The Faults of Qin*.

16 Guo Wei, (fl. 314BCE) politician who helped to revive the defeated princely state of Yan (The Hous o Swallas). Ju Xin and Yue Yi were two of the talented generals he recruited.

The Illustir Prince's white banes
are juist a brangle o bindweed nou,
An whaur wad ye fin a bodie ti dicht clean
the prince's Deas o Gowd?[17]
Hard's the road!
Hey for hame!

《行路難三首・其二》
大道如青天，
我獨不得出。
羞逐長安社中兒，
赤雞白雉賭梨慄。
彈劍作歌奏苦聲，
曳裾王門不稱情。
淮陰市井笑韓信，
漢朝公卿忌賈生。
君不見昔時燕家重郭隗，
擁篲折節無嫌猜。
劇辛樂毅感恩分，
輸肝剖膽效英才。
昭王白骨縈蔓草，
誰人更掃黃金臺？
行路難，
歸去來！

17 King Zhao of Yan (d. 279BCE): legend has it he built a terrace from which he dispensed gold to gentlemen and knights errant.

Hard's the Road [18]

3

Gin ye've lugs dinnae wesh them
in Sheelin Burn's watter,
An gin ye've a mou dinnae eat
The breckan o Besouthtap Braes;[19]
Smoor yir licht ti troke wi the warld,
noble, but wantin the name o't,
Nae uise cairryin a heich head,
heicher nor the bricht mune;
A see sin auld langsyne
the great saunts an sages
At didna reteir when their unco wark wis dune,
they gaed doun ti daith ilkane;
Wu Zixu, nou he wis forhooiet
by the Rantin River's stream;
Qu Yuan in the hinner-en flang hissel
aff Bylin Burn's braes,[20]
Lu Ji, yon bauld lad o pairts,
whit bield cud there be for him?
Li Si lowsed his plou-stilts,
his sorraes he niver expeckit:

---

18 Ibid. p.80.

19 Bo Yi (fl. c. 1046BCE) and his brothers were so loyal to the fallen Shang Dynasty, they refused to eat the food of the new Zhou Dynasty, and withdrew to Shouyang Mountain in modern Shanxi, where they lived on bracken and eventually starved to death. They are exemplars of virtuous hermits who died rather than countenance injustice and tyranny.

20 Wu Yun, aka Wu Zixu (d. 484BCE): general and statesman, ordered by his prince to fall on his sword: his body was thrown into the river. Now worshipped in Taiwan as God of the Waves. Qu Yuan (c. 340-278BCE): statesman and China's first named poet, author of the great collection *Songs of the South* (*Chu Ci*). His suicide by drowning is commemorated in the annual Dragon Boat Festival.

The craik o the Braw Bouer crans
the tane wad niver hear,
An the tovin East Yett goss
for the tither wadna wheek;[21]
Och sirs, did ye no see,
Zhang Han in the Puissant Kinrik
wis gracie cried, an wyce:
The hairst wind mindit him o hame
sae eastawa doun the Watter he gaed;[22]
Mair bi token, pleisure in this life
is aa in a gless o wine,
For whit guid is't ti be namely for a thousan year
when a bodie's deid an gane?

《行路難三首・其三》
有耳莫洗潁川水，
有口莫食首陽蕨。
含光混世貴無名，
何用孤高比雲月？
吾觀自古賢達人，
功成不退皆殞身。
子胥既棄吴江上，
屈原終投湘水濱。
陸機雄才豈自保？
李斯稅駕苦不早。
華亭鶴唳詎可聞？
上蔡蒼鷹何足道？
君不見吴中張翰稱達生，
秋風忽憶江東行。
且樂生前一杯酒，
何須身後千載名？

21 Lu Ji (261–303CE): critic, author of *On Literature* (*Wen Fu*), minister. Before he was executed on a false charge of treason, he said he wished he could hear the cry of the cranes over Braw Bower. Li Si (c. 280–208BCE) philosopher, writer, Chancellor of the princely state of Qin under the ruler who became the First Emperor and unified China, he is one of the most important people in Chinese history, responsible for unification and creator of many of the institutions that survived until the fall of the Empire in 1911. Before his execution under the 2nd Emperor of Qin, he wished he could hear again the cry of his beloved goshawk.
22 Zhang Han (fl. 3rd–4thC, CE): writer and statesman who grew so nostalgic for his home cuisine that he abandoned his duty. His disdain for fame and glory was much celebrated.

Thinkin Lang on Somebodie [23]

Thinkin lang on somebodie,
In the citie o Lang Peace;
The hairst-time wheetle o crickets
        on the palins o the Gowden Well,
Smaa cranreuch cauld an cauld,
        the bass-mat fair geelit,
Ma lanesome cruisie no lichtit –
        och, gin this lang grienin wis by;
A rowe up the hingers an gove at the mune,
        sicher lang an in vain:
Yon lassie bonnie as a braw flouer
        she's awa ayont the clouds;
Up abune uis the darksome cairrie,
        hie as Heiven abune,
Doun ablow, the caller watters
        jowin an sweil-sweilin;
Heiven lests for aye, hyne-awa's the road,
        an sair wad be ma sowl's flicht there,
Ma dreamin spirit 'll niver win there,
        the border swyre's onpossible;
Thinkin lang on somebodie
Rugs at ma wame an breks ma hairt.

《長相思》
長相思，
在長安。
絡緯秋啼金井闌，
微霜悽悽簟色寒。
孤燈不明思欲絕，
卷帷望月空長嘆。
美人如花隔雲端。
上有青冥之高天，
下有淥水之波瀾。
天長路遠魂飛苦，
夢魂不到關山難。
長相思，摧心肝。

23 Ibid. p. 482. Some editors put this as the first of a sequence of three poems, but others don't. I follow Yu Xianhao here.

The Back-En Comes Early ti Meiklemuir[24]

The year faas awa wi a rowth o dwynin flouers,
This saison the meikle heat's on the turn;
Rimie cauld's early come out the norland,
Drumlie clouds cross the hairst watters;
Ma dreams pirl about a mairch-toun mune,
Ma hairt flees awa ti a touer i the auld kintra;
Ma thochts retour like the Jowin Watter,
Ne'er a day but A'm faurer an faurer awa.

《太原早秋》
歲落衆芳歇，
時當大火流。
霜威出塞早，
雲色渡河秋。
夢繞邊城月，
心飛故國樓。
思歸若汾水，
無日不悠悠。

24 Ibid. p.121.

'The year faas awa wi a rowth o dwynin flouers,

This saison the meikle heat's on the turn;

Rimie cauld's early come out the norland,

Drumlie clouds cross the hairst watters'

歲落眾芳歇時當
大火流霜威出塞
早雲色渡河秋

張繼書

Sax Sangs o the Border [25]

1

I the fift month, snaa on the Heivenlie Hills,
Nae flouers, juist chitterin cauld;
A hear on a flute the Sang o Nippit Sauchs,[26]
But waretime colours A haenae yit seen;
In the dawin the fecht follaes the gowden bells,[27]
At nicht we sleep cooried inti fantoosh saiddles.
A want ti tak the lang sword at ma middle,
Ti face an front then heid an hauf the outlan Khan.

《塞下曲六首・其一》
五月天山雪,
無花只有寒。
笛中聞折柳,
春色未曾看。
曉戰隨金鼓,
宵眠抱玉鞍。
願將腰下劍,
直爲斬樓蘭。

25 Ibid. p.162ff.
26 A song about partings: the custom when seeing off friend on a journey was to break a willow twig, one half to be kept by the person leaving, and the other by the person staying behind.
27 Bells and cymbals were used as military signals, like bugles and drums in Europe.

Sax Sangs o the Border

2

Heiven's Airmy gauns doun the norlan wastes,
Ootlan cuddies grein ti drink in the south lans;
Heuks flatlins, we win forrit throu hunners o fechts,
Aa for the muckle lealty we haud in our hairts;
In the braid wastes we dine on haunfus o snaa,
Soop awa saun ti sleep on tap o the knowes;
Whit time will we ding the Huns doun?
Then we'll can sleep soun on hie pillaes.

《塞下曲六首・其二》
天兵下北荒，
胡馬欲南飲。
横戈從百戰，
直爲銜恩甚。
握雪海上餐，
拂沙隴頭寢。
何當破月氏，
然後方高枕。

3

On spankie cuddies, like a blousterin gell o wind,
Whips cleeshin, we're out owre Gurliewatter Brig;
Wi bent bous it's fare-ye-weill ti the Muckle Toun,
Arras at our middles ti fell the proud caterans;
The menyie's demittit, the sternlicht leam is gane,
The camp's tuim, skailit's the smoor o haar;
Mense Accomptit is pentit in Unicorn Hous:
Nane there forbye Commandant Smeddum his lane.[28]

《塞下曲六首・其三》
駿馬似風飆，
鳴鞭出渭橋。
彎弓辭漢月，
插羽破天驕。
陣解星芒盡，
營空海霧消。
功成畫麟閣，
獨有霍嫖姚。

28 Unicorn Hous: the Han Dynasty rewarded merit accomplished with portraits hung here. Commandant Smeddum: Huo Qubing (140–117 BCE), a highly decorated general who distinguished himself in border wars on the NW frontier.

Sax Sangs o the Border

4

White horses at Yalla Gowd Mairch,
Cloud-hie saun pirls about dreams an hairt-hunger;
Hou'll A can thole the sorra o this sair foy,
Whan A mind on ma ferawa laddie on the mairches?
Fire-flees flichter owre ma hairst-time windae,
The mune dawdles athort ma weedae's chaumer;
Awa an gane's the plane tree's leafs,
Desolat an dreich the wild pear's beuchs;
Ne'er a meenit but A'm burd-alane, unseen,
Tears rinnin, an nane ti ken but me.

《塞下曲六首・其四》
白馬黄金塞，
雲砂繞夢思。
那堪愁苦節，
遠憶邊城兒。
螢飛秋窗滿，
月度霜閨遲。
摧殘梧桐葉，
蕭颯沙棠枝。
無時獨不見，
流淚空自知。

Sax Sangs o the Border

5

Mairch-lan limmers come doun wi the hairst,
Sae Heiven's Airmy gaes out frae the kinrik o Han;
The Lieutenant-General skairs out the nicksticks o command,
Sodgers o his menyie lie on Dragon Sauns;
The border mune follaes the sheddaes o their bous,
Hunnish cranreuch is dichtit aff sheinin swords;
At the Jade Yett we still haenae crosst the swyre,
Och, guidwyfes, dinnae grane sae lang an sair.

《塞下曲六首・其五》
塞虜乘秋下，
天兵出漢家。
將軍分虎竹，
戰士臥龍沙。
邊月隨弓影，
胡霜拂劍花。
玉關殊未入，
少婦莫長嗟。

Sax Sangs o the Border

6

Bale fires shak the desart wastes,
In a line they licht the clouds abune Sweetsprings;
China's Empriour stauns up sword in haun,
An gies his mandment ti the Fleein General;[29]
Martial smeddum fills the verra lift,
The soun o drums is heard dounbye the rigs;
They skelp on unhinnert, braw wi courage bauld,
Come yince ti grips, an ill-daein warlockrie's dichtit awa!

《塞下曲六首・其六》
烽火動沙漠,
連照甘泉雲。
漢皇按劍起,
還召李將軍。
兵氣天上合,
鼓聲隴底聞。
橫行負勇氣,
一戰淨妖氛。

29 Nickname of Li Guang (d. 119BCE): a successful general who fought the Xiongnu on the NW frontier. The Xiongnu may have been the same Central Asian people the Romans called Hunni, i.e. Huns.

Lines on the Guest at Ma Yett Wi Horse an Cairrage[30]

The're a guest at ma yett wi horse an cairrage,
Gowden yoke an skyrie wheels o crammasy;
He says he fell doun frae the corneill cairrie,
But here, he's ma sib frae our auld hame toun;
A cry the servan chiel ti soop out the guid room,
Sit ma guest doun ti collogue on sorrae an care;
Wine's forenenst us, but naither o's is drinkin,
Tassies no birlin, gravats droukit wi tears;
A mak mane o ma ten-thousan-league stravaig,
Traipsin aboot for thrie an thirty springtimes;
We blether about the ploys o kings an princes,
Tho purpie gouns disnae hap his shouthers nor mines;
Ma braw gallant sword lies dernt in its jowelt kist,
Ma quairs o pratticks gaither stour undichtit;
Alane an fer awa, a marraless broken man,
A hameless gangrel, airtit for Bylin Burn Braes.[31]
Gin A daurd A'd speir about sib an kin an clan,
But sae monie's wede awa ti the Yalla Springs o daith;
It's a sair haggle for them conscript ti the weir bi the hunners,
Reborn in daith, neibours ti the millions o ghaists;
Norlan winds skail the fremmit outlan sauns,
Hap an smoor langsyne whummelt dynasties.
Life's Muckle Mandment's juist sic an sae,
Or wad ye say Heiven's no guidwillie an kind?
Enless doul an wae – whit can ye say about it?
Tint or ti the fore, we aa lippen ti Great Naitur's heuk.

---

30 Ibid. p.439.

31 Like Qu Yuan: see n.34 supra.

《門有車馬客行》

門有車馬賓，
金鞍曜朱輪。
謂從丹霄落，
乃是故鄉親。
呼兒掃中堂，
坐客論悲辛。
對酒兩不飲，
停觴淚盈巾。
嘆我萬里遊，
飄飄三十春。
空談帝王略，
紫綬不掛身。
雄劍藏玉匣，
陰符生素塵。
廓落無所合，
流離湘水濱。
借問宗黨間，
多爲泉下人。
生苦百戰役，
死託萬鬼鄰。
北風揚胡沙，
埋翳周與秦。
大運且如此，
蒼穹寧匪仁。
惻愴竟何道，
存亡任大鈞。

Bouzin Ma Lane Ablow the Mune [32]

1

Amang the flouers wi a pig o whisky,
Bouzin ma lane, wi ne'er a frein,
A lift ma gless ti cry the mune in:
Ma sheddae, the mune, an me maks thrie.
The mune's nae great boozer, tho,
An ma sheddae juist follaes uis about:
An inconstant cronie, a mune-sheddae,
But sprees in springtime there maun be.
Gin A sing, the mune shoogles back an forrit;
Gin A dance, ma sheddae stotters aa aroun:
Whan we're whiskified we're blithe thegither
But gin we sober up we'll hae ti pairt –
Sae we'll ramble an rant on forever
Gallivantin thegither the galaxie owre!

《月下獨酌四首・其一》
花間一壺酒，
獨酌無相親。
舉杯邀明月，
對影成三人。
月既不解飲，
影徒隨我身。
暫伴月將影，
行樂須及春。
我歌月徘徊，
我舞影零亂。
醒時同交歡，
醉後各分散。
永結無情遊，
相期邈雲漢。

32 Ibid. p.184–9. The first poem in the sequence appeared in Douglas, Helen and Stokes, Telfer, (1994) *Water on the Border*. Yarrow: Weproductions, and also in my *Staunin Ma Lane: Chinese Verse in Scots and English* (Spring 2016), Bristol: Shearsman Books.

Bouzin Ma Lane Ablow the Mune

2

An Heiven didna lou the wine
There wadna be a Wine Star in the lift;[33]
An Yirth didna lou the wine,
There sudna be nae Wine Springs in the warld[34]
Sae be Heiven an Yirth baith lous the wine,
Louin the wine's nae affront ti Heiven;
Ye'll hae heard that clear wine's like a wyce man,
An they say drumlie yill's like a warthy yin;
Nou sin the wyce an warthy aa tak a dram,
Hou need ye seek out saunt or sage?
Thrie glesses an ye'll win throu ti the Meikle Wey,
Twae gallons an ye've mellit wi the Sel o Aathing;
Houaniver, gin ye get the richt gou o the wine,
Dinna you let on ti the sober yins!

《月下獨酌四首·其二》
天若不愛酒，
酒星不在天。
地若不愛酒，
地應無酒泉。
天地既愛酒，
愛酒不愧天。
已聞清比聖，
複道濁如賢。
賢聖既已飲，
何必求神仙。
三杯通大道，
一斗合自然。
但得酒中趣，
勿爲醒者傳。

33 Three stars in Leo; China saw different patterns of stars in the night sky, not the European constellations that are now standard.
34 There is a Silk Road city in Gansu province with that name. Legend says that the 2nd century BCE general Huo Qubing once celebrated a famous victory over the Huns by pouring booze into the spring for his soldiers; alternatively, it was so named because the water tasted like wine.

Bouzin Ma Lane Ablow the Mune

3

The third month in Haill-Bricht Toun,
Thousans o flouers like begairit tweel in the sun;
Wha cud alane be dowie i the springtime?
Forenent this, A hae ti tak a drink belyve;
In life, puirtith an prestige, winnin an tynin,
The Shaper o Chynge hes it aa stellit an siccart;
A tassie maks life an daith equal marras,
Ilka orra thing shurelie canna be kent;
When A'm fou A've losst Yirth an Heiven,
An gaun on a suddentie ti ma lanesome bed;
A ken nae mair gin the sel o me exists or no:
This seilfu pleisur is evendoun the best o onie.

《月下獨酌四首・其三》
三月咸陽城,
千花晝如錦。
誰能春獨愁,
對此徑須飲。
窮通與修短,
造化夙所稟。
一樽齊死生,
萬事固難審。
醉後失天地,
兀然就孤枕。
不知有吾身,
此樂最爲甚。

Bouzin Ma Lane Ablow the Mune

4

Ti gar devaul a million brairds o sorra,
Guid drink, thrie hunner bickers o't;
Sorras are monie, tho drinks be few,
Sae pour a drink, an sorra winna come;
Whit they ken, wyce maisters o the drink:
Wi sweet drink, the hairt's wide ti the waa;
Gie owre yir stipend, gae sleep on Besouthtap Braes,
Whaur daily puirtith gart Yan Hui sterve wi hunger;[35]
In times like these, tak nae pleisur in drink,
An whit's the uise o the tuim fame ye got?
Partan's tae's the warlock's gowden elixir,
A hott o maut, yon's Tir nan Óg!
Mair bi token, guid drink maun be taen,
Ti mak the best o the mune, fou on yir hie deas!

《月下獨酌四首・其四》
窮愁千萬端，
美酒三百杯。
愁多酒雖少，
酒傾愁不來。
所以知酒聖，
酒酣心自開。
辭粟臥首陽，
屢空飢顏回。
當代不樂飲，
虛名安用哉。
蟹螯即金液，
糟丘是蓬萊。
且須飲美酒，
乘月醉高臺。

35 See n.33 supra, for the story of Bo Yi. Yan Hui (c. 521–481 BCE), Confucius' favourite disciple, venerated as one of the Four Sages.

'Ti gar devaul a million brairds o sorra,
Guid drink, thrie hunner bickers o't;
Sorras are monie, tho drinks be few,
Sae pour a drink, an sorra winna come'

窮愁千萬端美酒
三百杯愁多酒雖少
酒傾愁不来

張继書

Lines on the Norlan Wind [36]

The Caunle Dragon reists at Cauld Yetts,
Licht comes wi his open een at keek o day;
Sae whit wey does the shinin sun an mune no set hereawa?
Aa there's here is the norlan wind's roused gurlin frae the lift abune;
On Swallae Braes flauchts o snaa
muckle as bass mats,
Flaucht bi flaucht blawin doun
ti the Deas o the Yalla Imperator;
At Dernt Annay he grienit for his wife,
in the twalt month o the year;
Singin nae mair, lauchin nae mair,
her bonnie eebrous droopin;
Leanin at the yett she looks for traivellers,
Thinkin on her man on the Lang Dykes in snell cauld, muckle ti mane;
Whan he wan awa he took his sword
an gaed ti sauf the border,
Left his gowden dorlach here
pattrent wi gowden tigers;
In't wis a pair o braw arraes
wi flichts o white feathers;
Ettercaps wove wabs aa owre it,
aa mankie wi stour it wis;
The uiseless arraes are there yit,
But he's deid in battle,
an he'll no be comin back;
She cudna thole seein thae things,
Brunt them, turnt them ti aiss;
Gin the Yallae Watter rives its banks
it can be stappit back up again,
But in norlan wind an snaa an rain,
this rue'll ne'er sned awa.

36 Ibid. p.283.

《北風行》
燭龍棲寒門，
光曜猶旦開。
日月照之何不及此？
惟有北風號怒天上來。
燕山雪花大如席，
片片吹落軒轅臺。
幽州思婦十二月，
停歌罷笑雙蛾摧。
倚門望行人，
念君長城苦寒良可哀。
別時提劍救邊去，
遺此虎文金鞞靫。
中有一雙白羽箭，
蜘蛛結網生塵埃。
箭空在，
人今戰死不復回。
不忍見此物，
焚之已成灰。
黃河捧土尚可塞，
北風雨雪恨難裁。

Sang o the Hing-On-The-Wind Hero [37]

Callernorth, the third month o the year,
in fleein Hunnish sauns;
Inben Callernorth Toun fowk
sicher an mak murn at it aa:
Rinnin watter at Liftlade Brig
swawin reid wi bluid,
White banes stellit thegither
like a disjaskit field o lint;
Me, A wis airtit eastawa, see,
ti stravaig about the strand;
Clouds driftin, borders stappit up,
lang the road an the miles;
Wi the skraichin o mornin's corbie-craws
the sun cam oot eastawa;
A bodie opent the toun port,
soupit up the faa'n flouers,
Plane trees an sauch bushes
skiffin the Gowden Well;
A cam fou ti the hous o the hero
o Hing-On-The-Wind,
A ferlie ti the haill warld is the hero
o Hing-On-The-Wind;
Him an me, our sowls gae the same gate:
we cud gar the verra hills flit.

---

37 Ibid. p. 349. Hing-On-The-Wind is a county in modern Shaanxi Province in NW China. It isn't clear who the hero was, though Li Bai clearly enjoyed his company.

《扶風豪士歌》
洛陽三月飛胡沙，
洛陽城中人怨嗟。
天津流水波赤血，
白骨相撑如亂麻。
我亦東奔向吳國，
浮云四塞道路賒。
東方日出啼早鴉，
城門人開掃落花。
梧桐楊柳拂金井，
來醉扶風豪士家。
扶風豪士天下奇，
意氣相傾山可移。

Yon man, he disna lippen til
his Marischal's pith an virr,
He taks a drink an whit recks he then
o his tryst wi the Hie Secretar?
Wi rare vivers an fantoosh ashets
forgaithers he wi thrangs o guests,
Sangs frae the South an norlan dances,
parfumit breezes blawin.
Langsyne the fower great lords
o the sax faa'n kinriks,
Screivit their thochts wi open hairts,
as fine ye ken, sir;
Thrie thousan knichts in the haa
ilkane o them hed,
In braid day their lealty wis repayit,
but ken ye whae they wir?
A'll grip ma claymore,
Rax up ma brous belyve,
As caller watter an white stane,
e'en sae aefauld am A;
A'll pit aff ma bunnet,
Smile at ye, sir,
Drink yir wine, sir,
Scrieve aff ma verses;
Afore Zhang Liang sets out
eftir Reid Pine,
On the brig the Laird o the Yallastane
kens ma hairt fine.[38]

38 Zhang Liang (d.186BCE), statesman and strategist who made a great contribution to establishment of the Han Dynasty (206BCE–220CE): as a young fugitive he met a mysterious old man calling himself the Laird o the Yallastane, who gave him a book of strategy and told him to make use of it when the world collapsed into chaos in ten years' time (as it did with the fall of the Qin Dynasty); he asked to meet in the same place 13 years later. When Zhang went back, he found no old man, but a large yellow stone in the river, a sure sign that the old man was no mere mortal, but a kind of *genius loci*. When he retired from high office, he is said to have gone off with Red Pine, one of the legendary Taoist Transcendents. Li Bai is identifying himself with Zhang Liang here, and paying an elegant compliment to his host by identifying him with the wise old man.

作人不倚將軍勢，
飲酒豈顧尚書期。
雕盤綺食會眾客，
吳歌趙舞香風吹。
原嘗春陵六國時，
開心寫意君所知。
堂中各有三千士，
明日報恩知是誰。
撫長劍，
一揚眉，
清水白石何離離。
脫吾帽，
向君笑。
飲君酒，
為君吟。
張良未逐赤松去，
橋邊黃石知我心。

Convoyin a Frein [39]

Green hills athort the northren fore-waa,
White watter about the eastren toun-dyke;
Yince an ye've bidden fare-ye-weill ti this airt,
Ye'll stravaig yir lane owre ten thousan mile;
The driftin cloud's a gaun-about bodie's ettle,
The settin sun's an auld frein's hairt.
A wave o ma haun, an nou ye're awa:
Nicher-nicher, gaun the pairtin cuddies.

《送友人》
青山横北郭,
白水繞東城。
此地一爲别,
孤蓬萬里徵。
浮雲遊子意,
落日故人情。
揮手自茲去,
蕭蕭班馬鳴。

39 Ibid. p.255.

Lines on the Tassie o Wine Afore Uis [40]

1

The spring wind blaws frae eastawa,
then on a suddentie it's gane,
Fine caller wine in a gowden tassie,
it's cleckin wee wee pirls;
Bonnie lassies gettin fou,
Cheeks leapin reid,
Peaches an ploums inben green palins –
hou's there sae monie o them?
The linkin licht whummles a bodie,
but it's dwynt an gane in a blink;
Sir, get ye up an dance,
The sun's settin westawa;
Thir's the years ye dinna want ti skail
aa yir will an smeddum:
Oor white hair's like the silk,
but whit guid's makin murn for't?

《前有一樽酒行二首・其一》
春風東來忽相過，
金樽淥酒生微波。
落花紛紛稍覺多，
美人慾醉朱顏酡。
青軒桃李能幾何，
流光欺人忽蹉跎。
君起舞，
日西夕。
當年意氣不肯平，
白髮如絲嘆何益。

40 Ibid. p.483.

Lines on the Tassie o Wine Afore Uis [41]

2

A clarsach o emerant planetree to play on,
　　come frae the Dragon Yett,[42]
Guid wine in a joug o jade
　　sae fine it looks tuim;
A'll tirl the strings an temper the pins
　　an drink wi ye, guidsir,
Ti A see yer broun ee blear
　　an yir cheek beal reid;
Thon norlan limmer's face is bonnie as a flouer,
Ahint the bar she's smilin like a breeze o spring;
Smilin like a breeze o spring,
Dancin in her flindrikin goun;
Guidsir, gin ye wirna the waur o drink nou,
　　wad ye be gaun quietlike hame?

《前有一樽酒行二首・其二》
琴奏龍門之綠桐,
玉壺美酒清若空。
催弦拂柱與君飲,
看朱成碧顏始紅。
胡姬貌如花,
當壚笑春風。
笑春風,
舞羅衣,
君今不醉將安歸。

41 Ibid. p.484.

42 The *qin*, pronounced *chin*, now usually known as *guqin*, is a horizontal harp, whose strings are stretched across a fingerboard. Clarsach, the small Scottish harp, while organologically distinct, has a functional resemblance, as in the Middle Ages, both were élite instruments: the *guqin* was the instrument par excellence of the literati.

Sittin Singin Under Nicht [43]

Ae winter nicht when nichts are cauld
he fins the nicht is lang,
Lang he sits an pensefu sings
sittin inben the hous;
Ice hes steikit spring an wall,
the mune's intil her chaumer,
An the blae flame o the gowden cruisie
shines on her waesome sabs:
Gowden cruisie slockent,
Sabs monie an mair,
She smoors her tears,
Lissens ti her guidman's sang.
'The sang hes its ain souch,
An A hae ma ain feelins:
Ma feelins an yir souch are yin,
The twa there's nae sinderin;
Gin the ae word's no ti yir likin,
Ten thousan mair lilts wi you, guidman,
an we'd dirl the stour frae the rafters.'

《夜坐吟》
冬夜夜寒覺夜長,
沉吟久坐坐北堂。
冰合井泉月入閨,
金缸青凝照悲啼。
金缸滅,
啼轉多。
掩妾淚,
聽君歌。
歌有聲,
妾有情。
情聲合,
兩無違。
一語不入意,
從君萬曲梁塵飛。

43 Ibid. p.485.

'Ae winter nicht when nichts are cauld
he fins the nicht is lang,
Lang he sits an pensefu sings
sittin inben the hous'

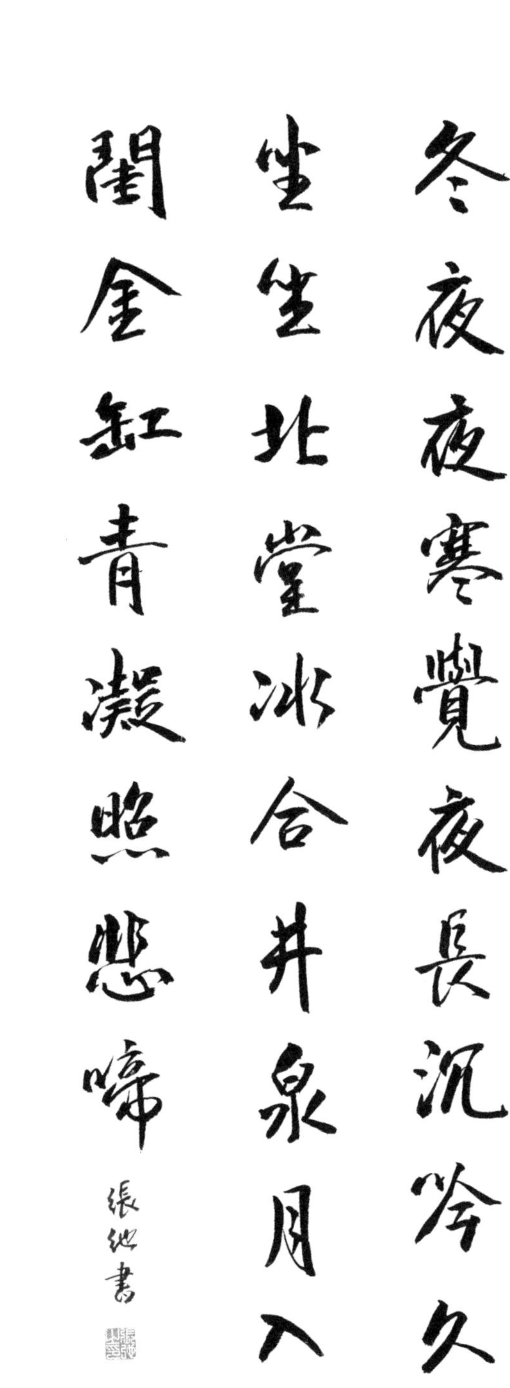
冬夜夜寒覺夜長沉吟久
坐坐北堂冰合井泉月入
閨金缸青凝照悲啼
張繼書

Jowelt Steppie-Stairs Mane [44]

White dew weit on jowelt steppie-stairs,
Lang's the nicht, her silken hose platchin;
Ance mair she lats doun the crystal hingers,
An throu their blinterin, keeks at the hairst mune.

《玉階怨》
玉階生白露，
夜久侵羅襪。
卻下水晶簾，
玲瓏望秋月。

44 Ibid. p.512. The English version was made famous by Ezra Pound in Cathay (1915).

Ludgin at Dame Xun's Ablow Five-Pine Hill [45]

A wis ludgin there, doun ablow Five Pine Hill:
Dreich an lown it wis, wi nae ploy ti divert uis;
For fermin folk, hairst's a sair darg:
A neibour wyfie's at her quern in the cauld nicht,
Hunkert doun on her houchs ti pour in the zizanie,
The mune's licht shinin on her hameart ashet;
This bodie hairt-peitied the puir auld dame,
Thrice cunned her thenks, but cudna eat it.

《宿五松山下荀媪家》
我宿五松下，
寂寥無所歡。
田家秋作苦，
鄰女夜舂寒。
跪進雕胡飯，
月光明素盤。
令人慚漂母，
三謝不能餐。

45 Ibid. p.529.

Liftin a Gless ti Speir at the Mune [46]

Here, it's the mune in the derk lift:
whit time did it come?
Nou A'll pit ma gless by,
an tak a speir at it belyve;
Gin a bodie cud sclim richt up ti the mune –
but ye'll ne'er get it!
The mune traivels but aye seems
ti want a bodie ti follae't;
Bricht as a fleein keekin-gless
forenent the Crammasy Yetts,
Greenichie rouks are fair riven awa
an bricht licht's skailin out;
Aa A see is mirk nicht risin
frae outowre the sea,
Whae kent mornin wad be drount
amang aa thae clouds?
White Bawdrons champs his herbs
in spring an yince mair in hairst,
The Perseverin Lass in her lanesome reist –
whit neibours hes she got? [47]
Fowk nouadays dinnae see
the mune o auld langsyne,
But yince on a time the modren mune
leamit on the fowk o langsyne;
Modren fowk an langsyne fowk
gang like the rinnin watter,
In pairtisay they watch the bricht mune,
ilka yin sic an sae.
Aa A seek is juist ti be singin
whan drink's set forenenst uis,
An the mune's licht shines lang an lang
inti ma gowden tassie.

---

46 Ibid. p.528.

47 In early Chinese folklore, there is no Man in the Moon, but a White Hare pounding herbs in a mortar. The locus classicus is *Songs of the South: Heavenly Questions* (Chu Ci: Tian Wen Tr. David Hawkes, Penguin Classics, 1985). According to the *Huai Nan Zi*, Chang'e drank the herbs of immortality the Queen Mother of the West had given her husband, then flew off to live on the moon, from where she could still see her husband down on earth.

《把酒問月》
青天有月來幾時？
我今停杯一問之。
人攀明月不可得，
月行卻與人相隨。
皎如飛鏡臨丹闕，
綠煙滅盡清輝發。
但見宵從海上來，
寧知曉向雲間沒。
白兔搗藥秋復春，
嫦娥孤棲與誰鄰？
今人不見古時月，
今月曾經照古人。
古人今人若流水，
共看明月皆如此。
唯願當歌對酒時，
月光長照金樽裏。

Drinkin Wi a Hermit in the Hills [48]

Twa bodies pourin drink,
          hill flouers opent,
Yin gless, anither gless,
yin gless mair:
A'm fou, ma frein, an awa ti ma bed,
          sae gaun ye yir weys:
The morn's morn, gin ye've a mind ti't,
          come back wi yir clarsach in yir oxter.[49]

《山中與幽人對酌》
兩人對酌山花開，
一杯一杯復一杯。
我醉欲眠卿且去，
明朝有意抱琴來。

48 Ibid. p.530.

49 See n.62 supra.

Listenin ti the Upland Monk Profunditas Play the Clarsach[50]

The upland monk oxtert his Green Silk Tweel,[51]
Cam westawa doun Bonniebrou Rigs;
The meenit he kittlt for me its thairms,
It wis like hearkenin ti a thousan pines in a cleuch;
This ootlan bodie's hairt wis wesht in livin watter,
As the lave o its echo mellit wi the cranreuch bells;
A niver kent dayset hed come ti thae emerant hills,
Nor haist-time clouds derkent sae monie glens.

《聽蜀僧濬彈琴》
蜀僧抱綠綺，
西下峨眉峯。
爲我一揮手，
如聽萬壑松。
客心洗流水，
餘響入霜鍾。
不覺碧山暮，
秋雲暗幾重。

---

50 Ibid. p.531 Upland here translates the place name Shu, covering the western part of modern Sichuan Province. The monk is playing, not the clarsach, but the *guqin*. See n.62 supra.
51 The name of his instrument: famous guqin were given fancy names.

'The upland monk oxtert his Green Silk Tweel,

Cam westawa doun Bonniebrou Rigs;

The meenit he kittlt for me its thairms,

It wis like hearkenin ti a thousan pines in a cleuch'

蜀僧抱綠綺西下峨
眉峯為我一揮手
如聽萬壑松

張弛書

杜甫

Du Fu

The Sage of Poetry

Li Bai's younger friend Du Fu (712–770) was distantly connected to the Imperial family, a poor relation, an unlucky mandarin who was caught up in the An Lushan Rebellion of 755 and the subsequent short but nasty civil war, as well as the bloody invasion from Tibet which followed it. He saw much of war, famine, and unrest, in addition to his own personal tragedies, which included a son dying of hunger. He was often separated from his family, posted to remote locations far from his hometown, the capital at Chang'an (the City of Eternal Peace, now Xi'an, in Shaanxi Province); he was sometimes forgotten by his government, left marooned on the edge of civilisation as it felt to him, and as his more successful contemporaries would have seen it.[52]

As a writer, he was a daring virtuoso, whose poems have the depth and complexity of a Shakespearean sonnet or a late Beethoven quartet. These are poems of exile, failure, loss, and middle age, powered by a strong social conscience, lightened by sad humour and the poet's gentle mockery of himself. His magisterial and beautiful poems were not recognised as masterpieces for several hundred years.

He can be dauntingly obscure, almost impudent in his

52 For biographical information, see Hung, William; (1952). *Tu Fu: China's Greatest Poet*, Harvard University Press. For a superb introduction to the poetry, see Hawkes, David (2016, revised ed.,), *A Little Primer of Tu Fu*, New York Review of Books, and for a translation of the complete oeuvre, Owen, Stephen (2015). *The Poetry of Du Fu*, Warsaw; Boston: De Gruyter (open access online at www.degruyter.com/document/doi/10.1515/9781501501890/html?lang=en).

mastery of the extremely complex and intricate metrics of New-Style Regulated Verse, but for many of his poems on social concerns, he could also create limpid, lilting ballads, closer in style to Li Bai (who, though he could write in the fashionable New Style, preferred looser forms inspired by folksong and popular verse).

As Shakespeare and his contemporaries took the Italian sonnet and made it central to English language versification, so Du Fu and his contemporaries took Regulated Verse, a form previously used for occasional or courtly poetry, and made out of it something that was musical, malleable, universal, symphonic, powerfully emotional, and capable of great grandeur and elegance, creating a poetic genre that took its place at the very heart of Imperial China, and a genre that remains vital and important to this day.

Du Fu was the first person in Chinese history to be identified as diabetic, and for much of his life suffered from a chest complaint, possibly asthma. He died at the age of 58, on a boat, on his way home.

Eastren Peel Touer [53]

Ten thousan mile on roads o sweilin saun,
Mairchin wastawa, they aa pass throu this port;
Juist ti mak mair sodgers' banes –
It'll no bring back the ghaists o umquhile expeditions.
I the peel's neuk, nitherin winds frae fer awa,
I the skug o the Lang Waa, a weit an wattery gloamin;
The word's passt on: see the posties set out,
Takin biddins for the airmy at Burnheid.

《東僂》
萬里流沙道，
西行過此門。
但添新戰骨，
不返舊征魂。
樓角凌風迥，
城陰帶水昏。
傳聲看驛使，
送節向河源。

53 Ibid. vol.I p.252.

The Ballad o the Airmy Cairts [54]

Cairts rummle-rummlin,
Cuddies nicher-nicherin,
A fuit-band wi bous an arras
  at ilka man's middle,
Faithers an mithers, wifes an bairns,
  linkin alang ti convoy them:
In sic a stour ye canna see
  the Haillbricht Brig.
Ruggin at their claes an strampin their feet,
  they block the road, greetin;
Their roarin an greetin rises awa up
  ti fleech at the verra lift
A bodie passin on the causeyside
  speirs at them o the fuit-band,
An yin o them juist says ti him:

《兵車行》
車轔轔,
馬蕭蕭,
行人弓箭各在腰。
耶娘妻子走相送,
塵埃不見鹹陽橋。
牽衣頓足攔道哭,
哭聲直上幹雲霄。
道旁過者問行人,
行人但雲點行頻。

54 Yang Lun楊倫 ed. Du Shi Jingquan《杜诗镜铨》Shanghai Classics Press, (1981) vol.I p.33.

‘The castin o cavels it’s onendin.
Whiles, at fifteen year auld,
        it’s north ti fend the Lang Watter,
Then ti forty-fower year auld
        it’s a strenth on the Mairches.
Whan first ye gang, the burlaw-baillie,
        he’ll tie yir gravat for ye:
Ye get hame white o the pow,
        then ye’re back for mair outlan battles;
Mairchlan closes rinnin wi bluid
        eneuch ti fill an ocean.
Our Imperator’s will ti eik the Mairches
        it’s niver-endin, sir.
Och, sir, did ye no hear –
Our kintra’s twa hunner stewartries
        be-east the swyres,
Fermtouns an clachans, hunners an thousans,
        grown owre wi thorns an brambles.

或從十五北防河，
便至四十西營田。
去時裏正與裹頭，
歸來頭白還戍邊。
邊庭流血成海水，
武皇開邊意未已。
君不聞漢家山東二百州，
仟村萬落生荊杞。

For aa the're strang weimen
          caain howe an plou,
The corn's aa owre bauk an burrel,
          the fields are aa throuither.
An mairatowre, us hielan sodgers
          we're tholin sair sair fechts:
The wey they caa us back an forrit,
          like verra tykes or chookies.
Guidsir, A'm obleiged ti ye for speirin,
For whit upliftit conscript daurs pour out his plaints?
Nou, tak ye last year's winter:
Nae exonerin for sodgers west o the Swyres:
County officiars wud to herry us for the cess,
But stents an cesses, whaur are they ti come frae?
We ken nou, haein a lad's a mishanter,
An contergates, haein a lass is grand.
Hae a lass an ye'll get the chance
          ti wad her ti a guid neibour,
Hae a lad, an ae day he'll get yirdit
          somegates on enless muirlans.
Och, sir, hae ye no seen at Blaeloch Heid
White banes frae auld lang syne
          lyin there, no ingaithert?
New ghaists fair oot theirsels,
          auld ghaists greetin,
An ablow the derk cairrie in the onding
          their voices yammer-yammerin?'

縱有健婦把鋤犁，
禾生隴畝無東西。
況復秦兵耐苦戰，
被驅不異犬與雞。
長者雖有問，
役夫敢申恨？
且如今年冬，
未休關西卒。
縣官急索租，
租稅從何出？
信知生男惡，
反是生女好。
生女猶得嫁比鄰，
生男埋有隨百草。
君不見，
青海頭，
古來白骨無人收。
新鬼煩冤舊鬼哭，
天陰雨濕聲啾啾！

Drover Toun [55]

1

Reid clouds bourach up wastawa,
Dayset faas owre the level land.
Poutrie keckles inben the wicker yett,
A fremt hame-comer's traivelt a thousan mile.
Wife an bairns dumfounert that A'm here,
The gliff gaed by, they dicht awa their tears.
In a tapsalteerie warld A tholed a gangrel life,
But cam hame on life, chancie tho it wis.
Neibours stow the dyke-heids out,
They're sicherin an sabbin, ilka yin.
In the wee hours o the nicht A lift the caunle:
The twae o's, forenent ilkither, like a dream.

《羌村三首・其一》
峥嶸赤雲西,
日腳下平地。
柴門鳥雀噪,
歸客千里至。
妻孥怪我在,
驚定還拭淚。
世亂遭飄蕩,
生還偶然遂。
鄰人滿墻頭,
感嘆亦歔欷。
夜闌更秉燭,
相對如夢寐。

55 Ibid. vol. I p.158-9. Qiāng is the name of a Tibeto-Burman speaking people who still live in western China. Etymologically, the name seems to mean something like 'sheep herders', hence my translation.

Drover Toun

2

In eild wis A gart ti tak ti the road –
Hame's no sae awfu blithesome, tho.
Browdent bairns winna rise frae their knees,
Feart their faither's for the aff ance mair.
A mind the grand caller air langsyne,
Auld trees that stuid about the stank.
Strang's the souch-souch o the norlan wind:
A hunner hairt-scauds, thinkin on the past.
A lippen on the corn aa gettin gaithert in,
An ken the dreep-dreep o the pat-still.
Eneuch for the nou, ti fill lip-fou the tassie:
Fine it'll dae, ti ease the gloamin o ma life.

《羌村三首・其二》
晚歲迫偷生，
還家少歡趣。
嬌兒不離膝，
畏我復卻去。
憶昔好追涼，
故繞池邊樹。
蕭蕭北風勁，
撫事煎百慮。
賴知禾黍收，
已覺糟床注。
如今足斟酌，
且用慰遲暮。

Drover Toun

3

A paircel o hens skirlin an skellochin –
Guests come, an here's the hens aa fechtin.
Yince A'd chased the hens inti the tree,
A heard the chappin on ma wicker yett.
It's fower or five auld yins that's here
Ti speir about ma lang an ferawa traivels.
In ilka haun a wee bit something's brocht,
The whisky pig's cowpit, it's drumlie, then fine:
'Och, dinna nay-say a dram, wersh tho it be:
There's nane ti plou our fields o corn.
War an fechtin, an aye wi nae devaul:
Our laddies taen, ilkane eastawa ti the airmy.'
'Allou me nou ti gie ye a sang, auld yins,
Sic hership maks ma hairt owre great, A vou'.
The sang dune, we lookit ti Heiven wi a souch,
Cheeks begrutten wi fower streams o tears.

《羌村三首・其三》
群雞正亂叫，
客至雞斗爭。
驅雞上樹木，
始聞叩柴荊。
父老四五人，
問我久遠行。
手中各有攜，
傾榼濁復清。
苦辭酒味薄，
黍地無人耕。
兵革既未息，
兒童盡東征。
請為父老歌，
艱難愧深情。
歌罷仰天嘆，
四座淚縱橫。

A Stravaig ti Lux Devotionis Abbey [56]

At the abbey in the wilds, braid's the watter an the lift,
The hill fore-door's deep in bamboo an flouers;
Musardrie sud tak a heize up frae whit's halie,
But me, A've wan nae faurer as springtime stravaigin.
The paths are taiglt an rowit roun the crags,
Clouds an burns come an gae at will;
Flochts o birds reist in the Meditation Wuids –
On a sudden it's een, an yince mair the retour o sorra.

《遊修覺寺》
野寺江天豁，
山扉花竹幽。
詩應有神助，
吾得及春遊。
徑石相縈帶，
川雲自去留。
禪枝宿衆鳥，
漂轉暮歸愁。

56 Ibid. vol.I p.347.

'At the abbey in the wilds, braid's the watter an the lift,
The hill fore-door's deep in bamboo an flouers;
Musardrie sud tak a heize up frae whit's halie,
But me, A've wan nae faurer as springtime stravaigin.'

野寺江天豁山扉

花竹幽詩應有神

助吾得及春遊

陳洪書

A Fine Lady [57]

A fine lady there is o beauty rare
Dernt awa, bydin in a tuim glen;
She says hersel, she comes o naethin smaa,
Sair come doun, she lippens on her kailyaird nou.
'Ben The Swyre wis dung doun an tint,
An ma brithers slauchtert ilka yin.
A needna tell ye, they wir hie officiars tae,
But ne'er cud A ingaither aa their banes.
It's the wey o the warld ti scunner at dwynin an devaul,
When ilka thing's kittle as a flichterin caunle:
Yon man o mines, he's licht an no ti lippen til,
His new lovey's braw as the bonniest jewel.
Whan A wis wad, A kent whit ma weird wad be,
Deuk an drake, they dinnae sleep their lanes.
Aa he sees is his new love smilin:
Can he no see his auld love greetin?
In amang the hills, caller's the burns an wells,
Awa frae the hills, drumlie's the burns an wells.
The servin chiel sells ma pearls for siller,
Humphs rashes to clout ma theikit ruif.
A'll pou a flouer, but no ti pit in ma hair,
A'll pouk at the cypress ti A hae a gowpenfu.'
The weather's cauld, an thin's her emerant sleeves,
At day's en she's leanin on a wee smaa sauch.

---

57 Ibid.vol. I p.230. Du Fu has her leaning on a bamboo, which I naturalise.

《佳人》

絕代有佳人,
幽居在空穀。
自雲良家子,
零落依草木。
關中昔喪亂,
兄弟遭殺戮。
官高何足論,
不得收骨肉。
世情惡衰歇,
萬事隨轉燭。
夫婿輕薄兒,
新人美如玉。
合昏尚知時,
鴛鴦不獨宿。
但見新人笑,
那聞舊人哭。
在山泉水清,
出山泉水濁。
侍婢賣珠回,
牽蘿補茅屋。
摘花不插發,
采柏動盈掬。
天寒翠袖薄,
日暮倚修竹。

Twa Dreams o Li Bai [58]

1

Twynin at daith fair steiks the voice;
Twynin on life's wearifu an waesome.
Besouth the Watter's a gey pestilentious airt,
An o the banisht man the're nae news at aa.
Auld frein, ye cam inti ma dreams,
Clear it is A've got ye in ma mind yit.
A'm feart ye're no on life nae mair,
The road's lang an A canna ettle whaur ye are.
Yir sowl cam, the maple shaws wir derk,
Yir sowl gaed back, the mairches wir bleck.
Nou guidsir, ye're catcht in the net o the law,
But whit hev ye got feathert wings for?
A dwynin mune lippers the kipples o ma chaumer,
An A jalouse it shines on your face an aa.
Deep's the watters, braid their sweel an swaw,
Nae word ti say ye haena let the spate dragon get ye.

《夢李白二首・其一》
死別已吞聲，
生別常惻惻。
江南瘴癘地，
逐客無消息。
故人入我夢，
明我長相憶。
恐非平生魂，
路遠不可測。
魂來楓葉青，
魂返關塞黑。
君今在羅網，
何以有羽翼。
落月滿屋樑，
猶疑照顏色。
水深波浪闊，
無使蛟龍得。

58 Ibid. vol.I p.231–2.

Twa Dreams o Li Bai

2

The skiffin cairrie's muvin aa the lang day,
An a gaun-aboot bodie's lang o winnin hame;
Thrie nichts ye cam inti ma dreams, guidsir,
A kent ye bi yir mensefu an cannie souch.
At fare-ye-weills, it's me that's aye sae blate,
Dour's the roads, an yir comin wisna easy.
On watters an lochs muckle's the winds an waves,
Yir coble's oars owre easy drappit an tint;
A gang oot the door, scart at ma white pow,
It's like the ortin o whit A've been eident for aa ma life.
The capital's thrang wi hie heid yins in gouns an touries,
But here's you, a peeliewallie bodie yir lane.
Fowk says the law's nets are braid an lang,
An ye're auld gettin, forfochen wi monie ills;
A thousan year yir guid name'll be kent, sir,
Tho weary'll be the time eftir ye're gane.

《夢李白二首・其二》
浮雲終日行，
遊子久不至。
三夜頻夢君，
情親見君意。
告歸常局促，
苦道來不易。
江湖多風波，
舟楫恐失墜。
出門搔白首，
若負平生志。
冠蓋滿京華，
斯人獨憔悴。
孰云網恢恢，
將老身反累。
千秋萬歲名，
寂寞身後事。

The Rain Casts Up [59]

At the lift's en, scanty hairst-time clouds,
Frae wastawa, winds a thousan mile lang;
This mornin nou, it's fair, an leesome ti see,
For the lang rains didnae haud doun the fairmin.
On sauchs alang the Mairches, gey smaa green,
On rowans on the braeside, wee snorls o reid;
Fremmit shawms blaw frae peel-touers,
An yin wild goose toves inti the lift sae hie.

《雨晴》
天際秋雲薄，
從西萬里風。
今朝好晴景，
九雨不妨農。
塞柳行疏翠，
山梨結小紅。
胡笳樓上發，
一雁入高空。

59 Ibid.vol.I p.253.

Dayset [60]

The wund rises and doun gaes the sun,
On the auld keep corbie tails fyke;
The faughie cairrie's lown an hie abune,
White watters buller fair dementit-like.
The hielan carlin speaks oot an keckles,
The norlan chiel sings a sang as he gaes;
The Major-General swaps anither naigie,
Skelps oot bi nicht, weill-buskit bill in haun.

《日暮》
日落風亦起，
城頭烏尾訛。
黃雲高未動，
白水已興波。
羌婦語還笑，
胡兒行且歌。
將軍別換馬，
夜出擁雕戈。

60 Ibid. vol. I p.262.

Lookin Outowre the Kintra[61]

Enless sicht in caller hairst-time air,
Hyne-awa heaves the gaitherin cairrie;
Ferawa watter mair unfylit nor the lift,
A auld keep happit i the howe o the haar.
A pickle leafs grow less i the wund,
The sun gangs doon owre ootlan hills;
Whit nicht'll this lanesome cran win hame?
The shaws are stowed wi dayset's corbies.

《野望》
清秋望不極，
迢遞起曾陰。
遠水兼天淨，
孤城隱霧深。
葉稀風更落，
山迥日初沉。
獨鶴歸何晚，
昏鴉已滿林。

61 Ibid. vol. I p.262.

Tuim Pock [62]

The juniper berries are soor that the Guid Fowk eats,
The rosy dawin's heich abune that the Guid Fowk souks;
Common fowk gaun haufs on sautit besom-gress,
Ma notion's this – yon's misery's verra sel.
The stove's no kennlt, the dawin wall's geelit,
Nae claes, an the bed cauld at een;
Ma pock's tuim, A dout A'm black affrontit,
But the ae bawbee A've got – A'm keepin it ti look at!

《空囊》
翠柏苦猶食,
明霞高可餐。
世人共鹵莽,
吾道屬艱難。
不爨井晨凍,
無衣床夜寒。
囊空恐羞澀,
留得一錢看。

62 Ibid. vol. I p.263.

A No-Weill Naigie [63]

A've ridden ye a richt guid whyle nou,
In cauldrife wather owre the Border Mairches;
Tho stievelie ye'd warstle throu the stour,
Ye're weirin doun, an A'm hairt-sair that ye're seik.
Yir birse an banes, A kenna hou they hing thegither,
Ye wir douce and cannie, aye, frae then ti this;
A patientfu thing ye are, tho yir will wis ne'er smaa,
A'm that great-hairtit nou, A'll no can sing nae mair!

《病馬》
乘爾亦已久，
天寒關塞深。
塵中老盡力，
歲晚病傷心。
毛骨豈殊衆，
馴良猶至今。
物微意不淺，
感動一沉吟。

63 Ibid. vol. I p.263.

Convoyin a Billie on a Lang Lang Road[64]

Wi airmit men aa owre the warld,
Whit for tak ye yon lang lang road, sir?
Yir fowk and freins greetin ilka yin,
Pownie saiddlt, you awa ti a lanesome toun.
Growth far gane i the back-en o the year,
Swyres an watters white wi snaa an cranreuch;
Yestreen we twyned, said fare-ye-weill;
Nou ye've seen whit hairts yir auld friens hae.

《送遠》
帶甲滿天地,
胡爲君遠行。
親朋盡一哭,
鞍馬去孤城。
草木歲月晚,
關河霜雪清。
別離已昨日,
因見古人情。

64 Ibid. vol. I p.265.

'Wi airmit men aa owre the warld,
Whit for tak ye yon lang lang road, sir?
Yir fowk and freins greetin ilka yin,
Pownie saiddlt, you awa ti a lanesome toun.'

帶甲滿天地胡爲君
遠行親朋盡一哭鞍
馬去孤城

張繼書於愛丁堡

Convoyin a Bodie Gaun for a Sodger [65]

Waikwatter maun be the en o the warld,
An Sunside Swyre's fell near the lift abune;
Nou ye're ti gang owre wastes o saun,
Cuttit aff frae the reek o fowk for years.
A guid sodger keeps the heid anent daith,
A man o hie degree caresna gin it come late or air;
Tak tent the pownie disna miss the gate i the cauld,
Whan snaa's drount yir fantoosh saiddle an its claith.

《送人從軍》
弱水應無地，
陽關已近天。
今君渡沙磧，
累月斷人煙。
好武寧論命，
封侯不計年。
馬寒防失道，
雪沒錦鞍韉。

65 Ibid. vol. I p.265-6.

Watterside Bothy [66]

Wame scuddy-bare, lyin in a watterside bothy,
Chantin lang ma Lookin Outowre the Kintra:
The watter rowes on, but A've neither kemp nor pingle in ma hairt,
The clouds are there, but A'm fozie an donnert in the heid.
Lown an lownlike, the spring's gaun ti weir awa,
Gled an gledlike, aa things see eftir their ain;
Ma ain plantins, A ne'er got ti win back ti them:
But ti shauchle aff care, A'm skeilly at steikin up verses.

《江亭》
坦腹江亭暖，
長吟《野望》時。
水流心不競，
雲在意俱遲。
寂寂春將晚，
欣欣物自私。
故林归未得，
排闷强裁诗

66 Ibid. vol.I p.348.

Early Up [67]

Here's spring, an A'm aye early up,
Tho it's peace an quiet A care mair about;
Stieve stanes haud back crottlin bankins,
Abune haggit wuids kythe ferawa hills.
The hail knowe's dernt wi loops an jinks,
Wi langsome steps A've been an sclimt it;
The servin chiel's new come frae the mercat toun,
There's drink in his bottle an that'll restore uis.

《早起》
春來常早起，
幽事頗相關。
帖石防隤岸，
開林出遠山。
一丘藏曲折，
緩步有躋攀。
僮僕來城市，
瓶中得酒還。

67 Ibid. vol.I p.349.

The Dwynin Sun [68]

The dwynin sun sinks hankit on ma hingers,
Alang the burn, the spring plouin's a wunner;
In the waff o flouers frae watterside kailyairds,
The wuidcutter's lyin back on his coble at the annay.
Cheetlin speuggies fecht an faa aff brainches,
The close is fou o fleein-aboot midgies;
Drumlie yill, wha wis't brewit you?
Yin swalla slockens a thousan sorras.

《落日》
落日在簾鉤，
溪邊春事幽。
芳菲緣岸圃，
樵爨倚灘舟。
啅雀爭枝墜，
飛蟲滿院遊。
濁醪誰造汝，
一酌散千憂。

68 Ibid. vol.I p.349.

Spring Spate [69]

Third month o the year, an it's peach-blossom spate,
The Lang Watter back to its auld skaiths again;
Mornin comes, the tail o the annay's droukit,
Green watter breingin owre timmer yetts.
We tie on our lines an drap in gustfu bait,
Watter-wheels slocken the wee kailyairds:
Eik ti that birds, fair athout nummer,
Fechtin ti douk in, skirlin an skreichin at ilkither.

《春水》
三月桃花浪，
江流復舊痕。
朝來沒沙尾，
碧色動柴門。
接縷垂芳餌，
連筒灌小園。
已添無數鳥，
爭浴故相喧。

69 Ibid. vol.I p.348.

Bevvyin Ma Lane [70]

Daunerin late in the deep wuids at een,
A broacht masel a gless, an bevvied lang ma lane;
A lookit up at bumbees lairit on paumie sauchs,
An stravaigin eemocks sclimmin owre fozie pears.
Tho lichtliet an mauchtless, A'd think shame to be an eremit,
Tho unco an oot-the-road, A'm cantie an joco in masel:
Ma hairt disna ettle at consaits like coronet or cairriage,
Bein upsitten an proudfu is wrang in times the like o this.

《獨酌》
步履深林晚,
開樽獨酌遲。
仰蜂粘落絮,
行蟻上枯梨。
薄劣慚真隱,
幽偏得自怡。
本無軒冕意,
不是傲當時。

70 Ibid. vol.I p.350.

A Cannie Wee Dauner [71]

A hank on ma shuin ti step on gress o green,
In forhooit closes, grey derk's comin on;
Hech-how glaur's cairriet in swallas' nebs,
Yalla pollen on bumbees' oossie coats.
A'm cairryin drink, ma goun aa slaistert wi't,
A'm souchin a verse, lippenin on ma cruik ti gaun.
Daur A plead o the ill-will hie ingyne gets?
Ti tell the truth, roarin fou's the same as stuipit.

《徐步》
整履步青蕪，
荒庭日欲晡。
芹泥隨燕觜，
花蕊上蜂須。
把酒從衣濕，
吟詩信杖扶。
敢論才見忌，
實有醉如愚。

71 Ibid. vol.I p.350–1.

Cauld Kail Day[72]

Cauld Kail Day on the watter clachan road,
Flouers on the wind faa frae hie abune;
Rouk on the haugh's licht but slaw o liftin,
Sun on the bamboo's shinin bricht an clear.
The auld fairmer wants aabodie ti gang,
Neibours speirin wad a handsel be ill-taen;
It's an ootbye airt, an aabodie's acquent wi ilkither,
Tykes an chookies dinna want ti gaun hame aither.

《寒食》
寒食江村路,
風花高下飛。
汀煙輕冉冉,
竹日靜暉暉。
田父要皆去,
鄰家鬧不違。
地偏相識盡,
雞犬亦忘歸。

72 Ibid. vol.I p.351. The day before Qingming, the Day o the Deid, when cooking is forbidden.

Visitors Yin Efter the Ither [73]

In puirtith an eild and even-doon idleset,
Mang burns an bens A'm set ti bide;
In this lythe airt A forget ti wesh or kaim ma hair,
But here's visitors, sae A lea ma quill an clarsach.
A tak a creel o fruits at's hingin on the waa,
Cry on the laddie ti see about bylin a fish;
An then A hear the oars o a coble at the bankin,
Come ti speir out ma theikit but an ben.

《過客相尋原文》
窮老真無事，
江山已定居。
地幽忘盥櫛，
客至罷琴書。
掛壁移筐果，
呼兒問煮魚。
時聞系舟楫，
及此問吾廬。

73 Ibid. vol.II p.759.

A Callant Comes[74]

The haws an pears are fair a wab o green,
The abricos an strawberries turnt hauf yallochie;
An here a callant ti ma lythe kailyaird comes,
His wee bit creel maumie wi the waff o scroggies.
The souch o the hill wund fills ma haun,
The dews o the muirlan A'm juist new preein;
A puir gangrel stellit on his bowster, me,
A tak yin, haud it, taste the lang months an years.

《豎子至》
楂梨且綴碧,
梅杏半傳黃。
小子幽園至,
輕籠熟柰香。
山風猶滿把,
野露及新嘗。
欲寄江湖客,
提攜日月長。

74 Ibid. vol.II p.759.

'The haws an pears are fair a wab o green,
The abricos an strawberries turnt hauf yallochie;
An here a callant ti ma lythe kailyaird comes,
His wee bit creel maumie wi the waff o scroggies.'

楂梨且綴碧，梅杏半傳黃。小子幽園至，輕籠熟柰香。

張繼書

In the Rain on the Lang Watter, Missin Baillie Zheng, Intendant o the Lady-Bodies' Ludgins [75]

The spring rains are dreich an drumlie
        doun in the Mairchlan cleuchs,
Here's me comin late an air
        frae the Palace o the Southron King;
Wildrife waves tapsalteerie skailin,
        jawpin owre the skerrs,
Dwaiblie clouds mixter-maxter throuither,
        nae block ti the winds;
Browdent wi licht the balderrie leafs
        ootpit a deeper green,
Dottelt wi rain the peach flourish
        lowses its wee bits o pink;
Hopesmou an Lealsome Loun
        is juist whaur A think on ye,
Stey's the braes, platchin an sliddery
        at sets the meiths atween east and wast.

《江雨有懷鄭典設原文》
春雨暗暗塞峽中，
早晚來自楚王宮。
亂波分披已打岸，
弱雲狼藉不禁風。
寵光蕙葉與多碧，
點注桃花舒小紅。
谷口子真正憶汝，
岸高瀼滑限西東。

75 Ibid. vol.II p.747.

Hairst Winds [76]

1

Hairst winds reishle-reishle
        blawin owre the Witchie Knowe,
Owre Bunemaist Fank, Nether Fank
        an Fettelt Watter-Yett;
Eastren masts, Southron steerers
        pullt alang wi muckle raips,
It’s warmer gettin bi Castletoun wey
        an the cauld hesna come back;
When’ll be the day the hie roads
        are dune wi aix an halbert?
The weirs hae spreid frae the Blae Drovers
        as fer as the Southron reivers.
Frae Midhaun County the’re nae news,
        an yon’s a guid thing;
The gloamin brings cateran drums
        toukin in the lang clouds.

《秋風二首・其一》
秋風淅淅吹巫山，
上牢下牢修水關。
吳檣楚柁牽百丈，
暖向神都寒未還。
要路何日罷長戟，
戰自青羌連百蠻。
中巴不曾訊息好，
暝傳戍鼓長雲間。

76 Ibid. vol.II p.779–780.

Hairst Winds

2

Hairst winds reishle-reishle
    blawin at ma claes,
East o the Lang Watter, ayont the rain,
    the wesslin sun gaes doun;
Owre the wee touns the lift lichtens
    as fowk waulk the white silk,
On auld stanes an nerrae gates
    gaun-about fowk are few;
A dinna ken, the bricht mune
    wha's it guid for?
Late or air the lanesome coble
    it'll win hame anither nicht;
Then A'll tak my white hair in ma haun
    an lean on the tree in the close –
Ma auld kailyaird, the stank, the deas,
    are they aye there yit or no?

《秋風二首・其二》
秋風淅淅吹我衣，
東流之外西日微。
天清小城擣練急，
石古細路行人稀。
不知明月為誰好，
早晚孤帆他夜歸。
會將白髮倚庭樹，
故園池台今是非。

Meetin in Wi Fire-Flees[77]

A hairst nicht on Witchie Knowe
 an the flichterin o fire-flees,
Skailin in the hingers an gleglike flaffin
 in sittin fowk's gouns;
Sudden stammygasters aa throu the room,
 clarsach an ballant forhooit.
Back they gang ti rowe abune the wall-heids,
 eikin the tane ti the tither,
Whyles lichtin on an aff
 flouer buds on the bauks;
Blae Lang Watter an white pows,
 wae A am ti see ye,
Thir days nou, wi the comin hairst,
 will A can get hame or no?

《見螢火》
巫山秋夜螢火飛，
簾疏巧入坐人衣。
忽驚屋裡琴書冷，
復亂檐邊星宿稀。
卻繞井闌添個個，
偶經花蕊弄輝輝。
滄江白髮愁看汝，
來歲如今歸未歸。

77 Ibid. vol.II p.780–1.

The Parrot [78]

The parrot's pang-fu o hairst-en doul,
In his harns he hauds the pain o twynin an pairtin;
His emeraunt hause gey near scuffit awa,
His reid gob reams wi owre muckle kennin.
Hou no hain the auld rung he's aye reistit on
Or the day whan the cage yett'll be wide ti the waa?
A bodie micht rue on the monie mischiefs he's tholed,
But whit's the uise o byornar feathers the like o yon?

《鸚鵡》
鸚鵡含愁思，
聰明憶別離。
翠衿渾短盡，
紅嘴漫多知。
未有開籠日，
空殘舊宿枝。
世人憐復損，
何用羽毛奇。

78 Ibid. vol.II p.828.

A Wild Goose Its Lane[79]

A wild goose its lane takin neither bite nor sup,
Scraichin it flees, its sang greinin for its feirs;
There's nane taks peity o this skelf o sheddae,
Tint amang a thousan mile o rowin cairrie.
Tho ilka glisk be gane, it's like it sees them yit,
Muckle's its pewlin, like it can hear the skein;
Wildrife corbies haena a threid o thocht atween them,
Wheepin an skirlin, mixter-maxter throuither.

《孤雁》
孤雁不飲啄，
飛鳴聲念群。
誰憐一片影，
相失萬重雲？
望盡似猶見，
哀多如更聞。
野鴉無意緒，
鳴噪自紛紛。

79 Ibid. vol.II p.829. This was Runner-up, Scots Language Society Sangschaw Prize for Owresettin 2019.

Makin a Mane in Hairst [80]

It's an ootbye clachan, sae no monie fowk come here,
Lang's the hills, an wa-gaun birds ill ti see;
I the mids o the back-en A pit my feathert fan awa,
Lang an incomer, A steik ma thorn-tree yett.
Horn-idle and slaw, whiloms A'll kaim ma hair,
Lossin wecht wi the trauchles A hae ti thole;
The General dreams o sweitin horse-baists,
Heiven's Son maistlins weirs airmy graith.
White zizanie's bruckle i the gowstie gell,
Reid sauchs skailit at e'en an morn;
Hou monie year till the greedy gleds are awa,
Sae A can win hame ti ma auld kailyaird?

《傷秋》
林僻來人少，
山長去鳥微。
高秋收畫扇，
久客掩荊扉。
懶慢頭時櫛，
艱難帶減圍。
將軍猶汗馬，
天子尚戎衣。
白蔣風飆脆，
殷檉曉夜稀。
何年滅豺虎，
似有故園歸。

80 Ibid. vol.II p.853.

Gloamin Comin On [81]

Sheuchs an faulds outby a lanesome toun,
A clachan on the carse mang a soss o watter;
Deep in the hills the cruppen-in licht heizes on,
The timmers o the brig wammlin in the goustie gell.
Crans come doun nearhaun the drumlie haugh,
Hen cruives the same as theikit sheilins;
For clarsach an quair A splairge on a bricht caunle:
This lang nicht A maun thole ti its hinner-en.

《向夕》
畎畝孤城外，
江村亂水中。
深山催短景，
喬木易高風。
鶴下雲汀近，
雞棲草屋同。
琴書散明燭，
長夜始堪終。

81 Ibid. vol.II p.866.

'Sheuchs an faulds outby a lanesome toun,
A clachan on the carse mang a soss o watter;
Deep in the hills the cruppen-in licht heizes on,
The timmers o the brig wammlin in the goustie gell.'

畎畝孤城外江村亂水
中深山催短景喬木
易高風

張弛書於愛丁堡

Mornin [82]

1

Skreich o day at the sunnyside o Southron Haa,
Rimie air keppit bi a thousan rigs an laws;
Kintra fowk whiles traivels their lane,
Trees in the haar convoyin them i the dawin.
A braw merlin passes seilint owreheid,
A hungert corbie comes eident doun ti feed;
A'm that dwaiblie A'll muve nae mair at aa,
On the river puil, leafs tremmle an faa.

《朝二首・其一》
清旭楚宮南，
霜空萬嶺含。
野人時獨往，
雲木曉相參。
俊鶻無聲過，
饑烏下食貪。
病身終不動，
搖落任江潭。

82 Ibid. vol.II p.866.

Mornin [83]

2

A sail on the watterfit sets oot i the grey dawin,
Whan ma ootlan yett's steikit conter the cauld;
In tuim shaws, yalla leafs faa doun,
The kintra's lown, wi an oncome o white sea-maas.
The pedisters is weit, but droukit nae mair,
The lift fairs, the clouds gang hauf-roads awa;
On Witchie Knowe whit an unco winter,
Yestreen on a suddentie, hurls an hurls o thunner!

《朝二首・其二》
浦帆晨初發,
郊扉冷未開。
村疏黃葉墜,
野靜白鷗來。
礎潤休全濕,
雲晴欲半回。
巫山冬可怪,
昨夜有奔雷。

83 Ibid. vol.II p.866–7.

Nicht[84]

1

In the white nicht the mune's passed its quarter,
In the cruisie's lowe A've hauf gien owre ma dover;
On the hills, deer wi nae place ti bide are bullerin,
In failin trees, flisky chairkers are cheetlin.
On a sudden A mind o Eastwatter herrin,
Think as weill on yon auld coble in the snaa;
A fremmit sang rises ill-faurd to the sterns,
Ance mair A fin A'm at the warld's end.

《夜二首・其一》
白夜月休弦，
燈花半委眠。
虢山無定鹿，
落樹有驚蟬。
暫憶江東鲙，
兼懷雪下船。
蠻歌犯星起，
空覺在天邊。

84 Ibid.vol.II p.867.

Nicht

2

On the barmkin o the strenth, dowie shawms at een,
Owre forhooiet clachans, bygaun birds are few;
Airmit men's been hereawa for years an years,
Ti uplift the cess, they come in the howe-dumb-deid.
In derk wuids, leafs faa owre the skerrs,
The Sternie River bous faint abune the Mairches;
The Plou sklents, an a bodie keeps on lookin,
The mune's smaa, wi nae pyots hameart fleein.

《夜二首・其二》
城郭悲笳暮，
村墟過翼稀。
甲兵年數久，
賦斂夜深歸。
暗樹依岩落，
明河繞塞微。
鬥斜人更望，
月細鵲休飛。

Thunner [85]

On Witchie Knowe, fireflauchts leam at mids o nicht,
On blae watter, thunner at the tenth mune o the year;
Dragon an serpent disnae bourach thegither in bykes,
Heaven an yirth on a sudden hotter an shoogle.
Back an forrit, millstanes spang the tuim hills,
Birlin deep atween stey waas rowin;
Whit recks it ti invy the wind an the rain,
Or gurlin thunner owre the Deas o the Southron King?

《雷》
巫峽中宵動，
滄江十月雷。
龍蛇不成蟄，
天地劃爭回。
卻碾空山過，
深蟠絕壁來。
何須妒雲雨，
霹靂楚王台。

85 Ibid. vol.II p.867–8.

Dowie an Wae [86]

The pest's spreidin aa owre the Thrie Stewartries,
Hunners o fremmit fowk dernin frae blatterin winds;
A rowe up the hingers, see naethin bar white watter,
Doverin at ma buird-en, there's aye the hills o green.
Puggies are gleg, but they're gey an ill ti see,
Seamaas are licht, an sae retour nae mair;
A've nae siller, and A'm a stickit traiveller here,
But A've a keekin-gless, guid at tellin uis A'm auld.

《闷》
瘴疠浮三蜀，
风云暗百蛮。
卷帘唯白水，
隐几亦青山。
猿捷长难见，
鸥轻故不还。
无钱从滞客，
有镜巧催颜。

86 Ibid. vol.II p.868.

'The pest's spreidin aa owre the Thrie Stewartries,
Hunners o fremmit fowk dernin frae blatterin winds;
A rowe up the hingers, see naethin bar white watter,
Doverin at ma buird-en, there's aye the hills o green.'

瘴癘浮三蜀風雲

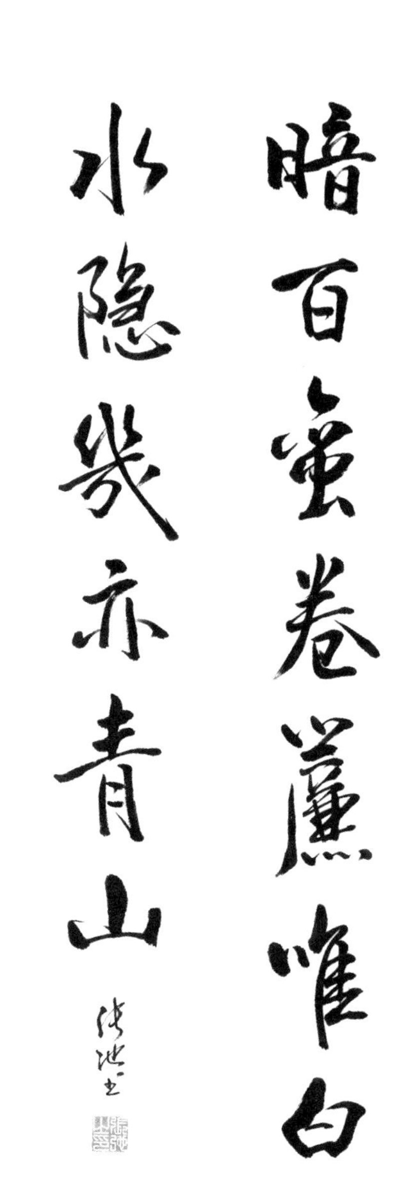

The Ballad o Tigertooth Hill [87]

Du Fu's note: This was made when A'd met in wi snell and gurly gales; it's a sicherin sab an aa at times o puirtith for fowk in a warld gane tapsalteerie.

The hairst wind's a sair gale
        blawin owre the south kintra,
Heaven an yirth's pitmirk derk
        nae colours ti be seen;
On Weemshaa Loch the swaas are sweelin,
        an widdershins gaes the Lang Watter.
Tigertooth Hill and Bress Stoup Law
        thrawn an skellie baith;
Witchie Cleuch's derk skerrs
        aa northren desart airs,
Rigs an kips oorie ilkane
        cleuchs an howes bleck.
Gowks disna come nou
        an puggies are nithert fairlie;
Hill bogles in a bad wey,
        wardit wi the frost an snaa.

Auld yins in the Southlans sicher,
        mindin on burnin saun,
Thrie-fit bous o horn
        wi a twa-forpit pull.
Waas staun tall in stane strenths
        risin alang the mairches;
Gowden-graithit banner-stangs
        cantlt up ti smoor the clouds,
On a sudden they ride out frae Fisherbricht
        ti hunt the Blae Hills;
Westlan caterans sneck up their mail
        ti siege Reid Riggintrees.

87 Ibid. vol.II p.873.

Ten year awa in outlan airts
fendin briganners an reivers,
Garrisons, expeditions, stent an cess
an weedae weemen greetin:
At mids o nicht the'r yin faur traiveller,
his breist platchin wi tears.

《虎牙行》
杜甫注：此值寒風猛烈而作、
亦世亂民貧之難也。
秋风歘吸吹南國，
天地慘慘無顏色。
洞庭揚波江漢回，
虎牙銅柱皆傾側。
巫峽陰岑朔漠氣，
峰巒窈窕溪谷黑。
杜鵑不來猿狖寒，
山鬼幽陰雪霜逼。
楚老長嗟憶炎瘴，
三尺角弓兩斛力。
壁立石城橫塞起，
金錯旌竿滿雲直。
漁陽突騎獵青丘，
犬戎鎖甲圍丹極。
八荒十年防盜賊，
徵戍誅求寡妻哭，
遠客中宵淚沾臆。

A Fair Forenicht [88]

Owrestank at winter's hint-en
whitna smeddum the snaa hed!
Nae remeid fae the auld smit
at's like smaa stanes an stew:
Heuchs is droukit, cleuchs drount
aa in skinklin white;
Stanes i the Lang Watter are riven an spleet,
mazer trees are whummelt;
For thirty days the guletrees
hae flourist in blin rouks.
Gin the reid sun shines at aa
frae westawa blearin,
It's stervation i the sun's blink
as the licht it comes an gaes.
It shines on ma failin auld face
an faas richt ti the fluir:
Tho ma mou's chantin verses,
ma hairt's dowie an wae.
A've nae ill-will the day at aa
at young fowk in their prime,
Liftin their eebrous an sweirin britherhood
on the Deas o Yallae Gowd.
Throu aa the spate o ma life
whit a gangrel bodie A've been:
Disjaskit, hameless, dwynin awa,
like deid aiss i the ingle.

---

88 Ibid. vol.II p.894.

《晚晴》
高唐暮冬雪壯哉，
舊瘴無復似塵埃。
崖沉谷沒白皚皚，
江石缺裂青楓摧。
南天三旬苦霧開，
赤日照耀從西來，
六龍寒急光裴回。
照我衰顏忽落地，
口雖吟詠心中哀。
未怪及時少年子，
揚眉結義黃金台。
洎乎吾生何飄零，
支離委絕同死灰。

Watchin Flouers Faa Forenent the Coble in the Wind an Rain: New Lines Made for Fun [89]

Aside fowk's houses on the Lang Watter
beuchs o peaches flourish,
In the wind an rain an the spring cauld
stickin out o disjaskit palins;
Sheddaes keppit in the emerant watter,
A cast ma heuk ti tempt them,
The wind invies thae flouers o reid,
an wad blaw them backlins;
The blawn flouers is poustit an horn-idle
aa the lenth o the coble's oar,
Licht on watter an the wind's virr
ilkane wi the ither blate.
A'm scunnert at the dafferie o the flouers
tho ornar bodies is keen on them:
Lang weit an late o fleein,
A'm hauf-fain for the hichts,
Snorlit in saun, A fouter wi gress
smaa an fine as hair;
Bumbees, droners, butterflees an mochs
          aa sib in hairt-likin,
They keek owre at the heatherbills,
          evitin the flesher-bird.

《風雨看舟前落花，戲為新句》
江上人家桃樹枝，
春寒細雨出疏籬。
影遭碧水潛勾引，
風妒紅花卻倒吹。
吹花困癲傍舟楫，
水光風力俱相怯。
赤憎輕薄遮入懷，
珍重分明不來接。
濕久飛遲半日高，
縈沙惹草細於毛。
蜜蜂蝴蝶生情性，
偷眼蜻蜓避百勞

89 Ibid. vol.II p.1012.

Owresetter's Eftirwird

Sorras are monie, tho drinks be few,
Sae pour a drink, an sorra winna come

The translations presented here were undertaken with no other motive than the joy of making them: the selection was often enough done by simply flicking through the books and picking out a title or a first line that caught my eye.[90] Some are poems I have known for decades, others were new to me, some have been widely translated into other languages and others are less well-known, but all were chosen because they moved me.

The Du Fu poems were worked on between 2017 and 2019, as a break from translating the poetry of Yang Lian into English,[91] and many of them were drafted first in 2019, in a flat close to the Rialto Market in Venice, generously provided by the Emily Harvey Foundation. The Li Bai poems came about in the early weeks of the 2020 COVID-19 lockdown, when, after working on some projects with Yang Lian, I turned to Du Fu again, intending to make a wee book of his poems. But I couldn't do it. In the midst of a global pandemic, his magnificent melancholy was too much for me, his suffering too acute, his pain too visible. Fortunately, I had been invited to participate in another project involving Li Bai's work, and when I sat down to read him *in extenso* I very soon realised that his optimistic, witty, and cheerful poetry, yang to Du Fu's yin, was exactly the tonic I needed to see me through the lonely weeks of isolation. And so it proved. Over these months I have grown to love his voice,

---

90 My sources were Yang, Lun 楊倫(1981, 2007) *Du Shi Jingquan*《杜詩鏡銓》Shanghai Classical Literature Series 上海古籍文學叢書, and Yu, Xianhao 郁賢皓(1990) *Li Bai Xuanj*i《李白選集》Shanghai Classics Press 上海古籍出版社.

91 Principally *Narrative Poem* (Shearsman Books, 2019) and *Venice Elegy* (Damocle Edizioni, Venice, 2019).

and if current plans dinnae gang agley, I could be spending the next few years getting to know him better.

This book doesn't pretend to be a textbook, it doesn't attempt to give a grand overview of either poet's oeuvre, and it isn't trying to convince you of anything other than the fact that Li Bai and Du Fu were great poets, and that their work survives and prospers in translation.

I chose Scots because I could, and why should I not? Scots is a West Germanic language of some antiquity, it is still alive and growing, and it fitted my purpose of bringing these voices from a distant time and a strange land into the body of our kirk. I've been told that the hameliness of Scots gives these poems the ring of familiar ancestral voices, at the same time that the content of the texts is underscoring the distance between then and now, between here and there. This tension between distance and familiarity is one of the most compelling mechanisms that power the translation of verse, as powerful as the tension between sound and sense, and it gave me another reason to explore the resources of the Scots tongue in my efforts to approximate the sinewy grace of the Chinese, as I practised the strange ventriloquism of my preterite trade.

As I did in *Staunin Ma Lane*,[92] I have chosen to translate place names: Chinese readers, sinologists, and Old China Hands will know about the Miluo River, Dongting Lake, Huang Shan, or Chang'an, and will understand both their significance in Tang Dynasty China and their meaning for Chinese readers today – but they can read Li Bai and Du Fu for themselves, so they don't need my voice. For other readers, though, transcriptions of Chinese place names mean very little: they do not evoke, they have no connotation. While I tried very hard to stick to the etymological roots of the Chinese, I did use makie-uppie place names, and I used them to provide the reader with connotation: even if these names evoke the

92 Shearsman Books, 2016.

Scottish countryside, or Tolkien's Middle Earth, or Old Norse sagas, that's surely better than the *terra nullius* of a bare and unfamiliar transcription, it seems to me. (And it's great fun, too.) To take an important recurring example, the different reaches of the Yangtze have many names in Chinese – indeed, Yangtze (or nowadays, Yangzi) itself is only the name of one short stretch of this 3,900 mile river – but the main stretch, from Sichuan in the west to Shanghai in the east, is the Changjiang, or Long River, which appears here as the Lang Watter, or just The Watter, echoing the Chinese Da Jiang or Jiang.

I tried to keep footnotes to a minimum, though there are some poems where they are very much needed to show the skill and delicacy with which the poet deployed his allusions. Du Fu is generally thought to be more in need of footnoting than Li Bai, but I tended to choose poems of Du Fu's that would survive unannotated: when Du Fu displays his erudition, he can be terrifyingly hard to render in another language. His rueful and melancholy humour comes easily into Scots, though.

The metrics of Classical Chinese poetry are not reproducible in a rhyme-poor, non-tonal language like Scots, since they are not founded on length or stress, but on the pitch contours which are an essential and inseparable part of each syllable.[93] However, the line rhythms are visible in my Scots. The five-syllable line (12/345) I represented by a line of two stressed syllables, a caesura, then three stresses; the seven-syllable line (1234/567) has four stresses then three, and is also split at the caesura. Though I have not consistently attempted to imitate the compulsory end-rhyme of the originals, I have used slant-rhyme and half-rhyme, assonance, alliteration, and other cohesive echoic devices in order to make the sound-structure without which a text cannot become a poem. The original texts had no

93 More detail in my 'Making Du Fu Sing', *Magma* 53. Spring 2012, Carshalton, and at http://magmapoetry.com/.

punctuation, so all punctuation is editorial, either my own, or that of the Chinese editors I follow.

It is obvious how easily my Scots fell into the rhythm of the ballad stanza, and I did not struggle to avoid that – I took in the ballads with my mother's milk, and have their sound ringing in my ear whenever I work in Scots. The reader will best judge how successful my labours were by reading these poems out loud. (If you're not confident about your Scots comprehension, by the way, reading aloud is a useful way of getting to the heart of a poem: sadly, though we may speak and understand Scots perfectly well, too many of us – because of grave deficiencies in our schooling – can only read with ease in English.)

Without entering into the acrimonious debates of the academy of which I am no longer part (and to which I was only ever semi-attached), I could describe the Scots poems presented here as 'versions', in Don Paterson's terms:

> Versions... are trying to be poems in their own right; while they have the original to serve as detailed ground-plan and elevation, they are trying to build themselves a robust home in a new country, in its vernacular architecture, with local words for its brick, and local music for its mortar... they will have, in other words, their own pattern of error and lyric felicity.[94]

To my ear there is a muscularity and a flexibility to Scots which does not come to me when I write in English, and to that I ascribe any 'lyric felicity' I may have achieved.

Because of its relative unfamiliarity in print nowadays, there is a kind of robust innocence to song or poetry in Scots, as there is to the sound of viols or recorders in performance of Renaissance or Baroque music. I have actively tried to make use of the historic resonances of Scots, not only with echoes of the Border ballads, but also

94 Paterson, D. (2006) *Orpheus* London: Faber and Faber, p.72.

echoes of William Dunbar, Robert Henryson, Gawain Douglas, Robert Burns, Walter Scott, James Hogg, Robert Louis Stevenson, and the fecund heritage of folksong and common speech: these are the foundations of the Scots tongue, and they underlie the bricks and mortar with which I build a Li Bai and a Du Fu for 21st century Scotland. (My errors, are of course, my own.)

The original music of Li Bai and Du Fu is largely lost to us. The Chinese script is not alphabetic: scholars must laboriously deduce what sounds are represented by the 8th century words that people these poems. Although we are relatively certain of our reconstruction of the sounds of the Middle Chinese the poets used, we will never know with any certainty the actual pitch contours of the syllables, the lilting music of the lines – which is another reason I have leaned toward the ballad stanza and ballad rhythms, as sonic compensation for the loss of the sinewy and graceful music of Middle Chinese.

As I look out of my window at buildings of Melrose stone – honey-coloured, rose-pink, and grey – it strikes me how different are the colours and contours of the green hills and valleys of lowland Scotland from the colours of China, with its tawny earth, its buildings of grey stone, red brick and tile, its dusty cities, its craggy mountains and sheer cliffs, its vast brown rivers, and its mist-enshrouded forests. I have lived in both, and in imagination I see the colours of China in the voices of Li Bai and Du Fu as I try to paint them with a palette of Border sounds.

The result is, I hope, a hybrid which will continue to move, excite and please you as much as the elegant and powerful poetry of these two giants has excited, moved and pleased me over the many decades since I sat as an undergraduate in the Chinese Department of Edinburgh University at 8 Buccleuch Place. There, with the help of John Scott and Bill Dolby, I was transported, drawn into a world I had never imagined: one of beauty, passion, insight and sophistication. It was as though, like Harry Haller in Hesse's *Steppenwolf*, I had opened a nondescript door and entered the Magic Theatre.

I wish you as much joy in these voices as I had then and still have now, fifty years on.

Brian Holton
Melrose
July 30th 2020